Les animaux du désert

Texte de Jo Windsor

Beauchemin

Cette araignée vit
dans le désert.

une araignée

Ce serpent vit
dans le désert.

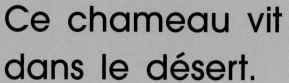

Ce chameau vit
dans le désert.

un chameau

Ce lézard vit
dans le désert.

un lézard

9

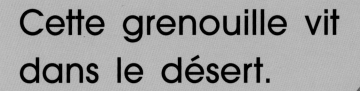

Cette grenouille vit
dans le désert.

une grenouille

Cet insecte vit
dans le désert.

un insecte

13

Index

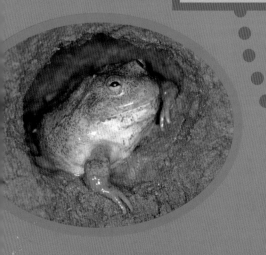

▬▬ Notes pédagogiques

Titre : **Les animaux du désert**
Série : Petite brise

Niveau de lecture : Magenta
Type de texte : Informatif
Approche : Lecture guidée
Apprentissages visés : Raisonnement critique, exploration de la langue française, traitement de l'information
Accent sur les éléments textuels et visuels : Photographies, index, mots-étiquettes

LECTURE DU LIVRET
- Dites aux élèves que ce livret parle d'animaux qui vivent dans le désert.
- Observez ensemble la première de couverture. Lisez le titre du livret avec les élèves, ainsi que le nom de l'auteure.
- Présentez l'index aux élèves. Discutez avec eux des animaux mentionnés dans le livret.
- Parcourez le livret en mettant l'accent sur les photographies. Invitez les élèves à les commenter.
- Lisez le texte avec les élèves.

RAISONNEMENT CRITIQUE
Posez ces questions après la lecture :
- À ton avis, qu'est-ce que ces animaux peuvent manger dans le désert ?
- Selon toi, pourquoi ces animaux aiment-ils vivre dans le désert ?

EXPLORATION DE LA LANGUE FRANÇAISE
Terminologie
Auteur, pages, photographies, première de couverture, titre

Vocabulaire
Mots fréquents : ce, cette, dans, le, vit
Autres mots : araignée, chameau, désert, grenouille, insecte, lézard, serpent

Conventions typographiques
Lettre majuscule en début de phrase, point final